Timi lapin

Coucou petit frère !

Écrit par M. Boelts   ©CALLIGRAM   Illustré par K. Parkinson
CHRISTIAN GALLIMARD

Dehors, les premiers flocons de neige recouvrent le sol.
Dans la maison bien chaude, Maman offre un cadeau
à Timi Lapin. C'est une poupée garçon avec une casquette
bleue toute douce.
Papa annonce :
– À partir d'aujourd'hui, tu vas pouvoir t'entraîner
à être un grand frère, car Maman va avoir un bébé.

Timi Lapin est très excité et il court dans tous les sens
en posant des tas de questions :
– Quand est-ce que le bébé va naître ?
– Ce sera une fille ou un garçon ?
– Est-ce que je pourrai l'emmener à l'école pour
le montrer à mes amis ?

Pendant tout l'hiver, Timi Lapin s'entraîne à être
un super grand frère.

Il aide aussi Papa et Maman à préparer l'arrivée de bébé.

Puis, un beau jour de printemps, alors que les premières
tulipes percent la couche de neige fondue,
Papa accompagne Maman à l'hôpital. Timi Lapin,
lui, reste à la maison avec Mamie Lapin.

Un peu plus tard, le téléphone sonne. C'est Papa :
– Tu as un petit frère, Timi, il s'appelle Kevin !

Dès le lendemain, Timi Lapin va voir son frère
à l'hôpital.
Maman explique :
– Tu peux le caresser délicatement.

Timi Lapin pose un baiser tout doux sur la tête du bébé
et il dit :
– Je l'aime tellement !

Mais quand bébé Kevin
rentre de l'hôpital, Timi
Lapin change d'avis.
– Maman, si on n'avait
pas ce bébé, je ne serais
pas obligé de me boucher
les oreilles toute
la journée !
Maman essaie de calmer
Kevin :
– C'est vrai, les bébés
pleurent parfois très fort.
Aimerais-tu aller
te promener au parc
avec Papa pour avoir
un peu de calme ?

Le lendemain, Papa et Maman invitent tous leurs amis pour fêter l'arrivée de Kevin dans la famille.

Timi Lapin annonce :
— Papa, si on n'avait pas ce bébé, c'est moi qui aurais reçu des tas de cadeaux !
Papa tend à Timi une boîte en argent joliment enrubannée :
— Ouvre-la pour ton frère, c'est trop difficile pour lui !

Quelques jours plus tard, Timi Lapin est assis sur son lit
et il se met à crier :
– MAMAN, si on n'avait pas ce bébé, tu pourrais
t'installer sur mon lit pour me lire des livres,
et des livres et des livres !

Maman dit :
– Ce soir, c'est Papa qui va coucher Kevin.
Choisis les livres dont tu as envie, et moi, je reste
un moment avec toi.

Un matin, Papa change la couche de Kevin
et Timi Lapin se bouche le nez.
– Papa, si on n'avait pas ce bébé, notre maison
ne sentirait pas aussi mauvais ! Quelle infection !

Papa éclate de rire :
– Je crois que ton petit frère a besoin d'un bon bain.
Est-ce que tu veux m'aider à lui
donner ?

Plic, ploc, plic, ploc, plic, ploc ! La pluie n'arrête
pas de tomber, Timi Lapin en a assez et il a envie
de sauter partout.
– Si on n'avait pas ce bébé de malheur, soupire
Timi, je pourrais danser, frapper sur mon tambour
ou encore hurler comme un monstre et...
ça ne réveillerait pas le bébé !

Maman donne un parapluie à Timi Lapin, elle ouvre
la porte de derrière et elle dit :
– Vas-y, danse, cours, saute et hurle tout ce que tu veux,
je te regarde par la fenêtre.

Au supermarché, les gens font des tas de compliments
au bébé Kevin et ils disent à Timi Lapin qu'il est sûrement
une aide TRÈS précieuse pour sa Maman.

Timi Lapin bougonne :
– Je ne veux pas être une aide TRÈS précieuse.
– D'accord, répond Maman, tu es juste notre Timi Lapin.

Dans l'allée des produits pour bébés, Timi Lapin choisit
des carottes, des petits pois et de la compote de pêches
pour bébé Kevin.
Timi Lapin demande :
– Bébé Kevin a besoin de quelqu'un pour goûter
à tous ces petits pots, n'est-ce pas Maman ?

Maman est tout à fait d'accord.
Timi Lapin annonce :
– Je suis un excellent goûteur et ce soir
je vais commencer par les carottes !

Comme chaque semaine, le lundi est la journée surprise
à l'école.
Papa tapote le dos de Kevin pour lui faire faire son rototo
et il dit à Timi Lapin :
– Ta maîtresse a demandé d'apporter quelque chose
qui commence par un K.

Timi Lapin cherche dans son coffre à jouets et il dit :
– Papa, je ne trouve rien qui commence par un K
là-dedans !
– Hum, laisse-moi réfléchir, dit Papa alors que Kevin
se tortille dans tous les sens. Tiens, tu ne veux pas essayer
de lui faire faire son rot ?

Timi Lapin tapote doucement le dos de bébé Kevin,
qui tend alors ses jambes et fait un magnifique rototo.
Papa dit :
– Si Kevin pouvait parler, il te dirait sûrement merci.
Timi Lapin rigole et fait une horrible grimace. Kevin
le regarde et soudain... on entend un drôle de petit bruit,
un petit bruit comme le bébé n'a encore jamais fait.
Timi s'exclame :
– Kevin a rigolé, et c'est moi qui l'ai fait rire !
– C'est vrai, dit Papa, et c'est la première fois !
Alors Timi a une idée :
– Dis Papa, Kevin, ça commence par un K, je pourrais
peut-être l'amener à l'école pour la journée surprise !

Le lendemain, à l'école, Timi Lapin montre
à ses amis tout ce que Kevin sait faire :
il peut sourire, faire des super rots, agripper
un doigt et... devinez quoi encore ?
Il sait... il sait rigoler !

L'après-midi, Timi Lapin aide sa Maman à bercer
bébé Kevin, pour qu'il s'endorme.
Timi dit doucement :
– Maman, si on n'avait pas ce bébé, tu sais quoi ?
Timi se pelotonne contre Kevin qui somnole
et il continue :
– Si on n'avait pas ce bébé... je n'aurais pas de petit frère.

Traduit de l'américain par Pascale de Bourgoing

Édition originale parue sous le titre :
You're a Brother, Little Bunny !
aux Éditions Albert Whitman
© 2001 Maribeth Boelts, pour le texte.
© 2001 Kathy Parkinson, pour les illustrations.
© Calligram 2006
Tous droits réservés
Imprimé en Italie
ISBN : 2-88480-276-2